« C'est en ce lundi de Pâques, le 9 avril 1917,
et à aucune autre date, que le Canada
est devenu une nation. »

— D. J. Goodspeed, *The Road Past Vim*

L'exploit des Canadiens
LA BATAILLE DE VIMY
Avril 1917

Hugh Brewster

Texte français de Claudine Azoulay

ÉDITIONS SCHOLASTIC

9 avril 1917 — Avant l'aube, en ce matin du lundi de Pâques, de gros flocons de neige se sont mis à tomber sur la crête de Vimy. Pour les soldats canadiens tapis les uns contre les autres dans l'obscurité, au pied de la crête, la neige est un rappel de leur pays. Beaucoup d'entre eux viennent à peine de finir d'écrire à leurs proches restés au Canada. « Ceci pourrait être une lettre d'adieu, a écrit l'un d'eux, puisque nous lançons l'attaque demain matin. » Tous sont conscients que la crête qui se dresse devant eux est un bastion ennemi redoutable. Ils savent que Français et Britanniques ont tenté de s'en emparer et ont échoué. Mais les Canadiens ont planifié et répété cette attaque durant des mois. Et pour la première fois, les quatre divisions canadiennes vont combattre ensemble, soit un total de 100 000 hommes. Cependant que le ciel commence à s'éclaircir, le monde entier semble trembler lorsque 938 énormes canons font feu en même temps. C'est à ce moment précis que les Canadiens doivent avancer.

« Le pays a été pris de folie! » C'est ainsi qu'un ancien combattant a décrit l'atmosphère qui régnait quand la guerre a été déclarée (à gauche). Des rassemblements patriotiques (ci-contre) soulignaient les liens du Canada avec l'Empire britannique. Même au Québec, le drapeau de la Grande-Bretagne figurait sur les affiches (ci-contre, au centre) qui encourageaient les Canadiens français à aider à « écraser la tyrannie » du Kaiser allemand Guillaume II (ci-dessous). On ne tarda pas à voir des défilés de recrues (ci-contre, à droite, en haut) dans les rues des villes.

> « **Tout le monde s'est précipité et voulait aller à la guerre...**
> **Les bannières, les fanfares! C'était la fièvre.** »
>
> — Jack Burton, Fredericton

LA FIÈVRE DE LA GUERRE 4 août 1914

Presque trois ans avant la bataille de Vimy, la nouvelle de la déclaration de guerre a été accueillie avec grand enthousiasme dans tout le Canada. À Montréal, une foule immense chante *God Save the King, La Marseillaise* et *Ô Canada* dans les deux langues. Une fanfare défile sur la rue King à Toronto, en tête d'une parade où se mêlent chants et drapeaux. À Winnipeg, des centaines de jeunes gens se rendent à la caserne de la milice dans l'espoir d'être enrôlés.

Si le Canada n'a pas lui-même déclaré la guerre, la Grande-Bretagne l'a fait. Cela signifie qu'en sa qualité de dominion de l'Empire britannique, le Canada est lui aussi en guerre. Comme l'a rapporté un journal de Toronto, la plupart des Canadiens sont « transportés par un enthousiasme patriotique à l'idée que la Grande-Bretagne [...] a décidé d'écraser le tyran de l'Europe. » Ce tyran est l'Allemagne, dirigée par son empereur à la moustache retroussée, le Kaiser Guillaume II. Pendant des années, l'Allemagne avait construit des navires de guerre à un rythme inquiétant afin de rivaliser avec la marine britannique qui, c'était bien

connu, « dominait les mers ».

Beaucoup de ces hommes qui se ruent pour se porter volontaires en ce mois d'août craignent de manquer l'action. Les journaux affirment que la guerre pourrait prendre fin avant Noël! Pour certains de ces hommes, l'armée leur permet d'échapper à l'ennui du travail à la ferme ou à l'usine, pour la somme assez convenable de 1,10 $ par jour. Sans compter la nourriture, un uniforme... et peut-être aussi une part d'aventure.

Le recrutement des jeunes Canadiens est une tâche dont Sam Hughes, ministre de la Milice et de la Défense du pays, s'acquittera de bonne grâce. À son avis, les soldats canadiens sont en mesure d'en apprendre aux Britanniques en matière de combat. Le lendemain de la déclaration de guerre, il annonce que le Canada enverra 25 000 officiers et hommes de troupes combattre pour l'Empire. En 1914, le Canada possédait une armée qui représentait environ le dixième de cet effectif, même si beaucoup d'hommes se portaient volontaires dans les milices locales. Hughes demande donc à toutes les unités de milice présentes sur le territoire canadien d'envoyer des volontaires s'entraîner à Valcartier, au Québec.

> « Voici l'armée de Sam Hughes : trente mille soldats nous sommes, incapables de combattre ou de marcher au pas, pas bons à grand-chose en somme. »
>
> — Adaptation d'un chant entonné par les recrues canadiennes

L'armée de Sam Hughes

Aux yeux du gouverneur général, Sam Hughes n'est qu'un « cinglé vaniteux ». Même le patron de Hughes, le premier ministre Robert Borden, pense qu'il n'est pas tout à fait sain d'esprit. Cet excentrique ministre de la Milice s'assure que les contrats destinés à l'approvisionnement en matériel militaire sont confiés à des entreprises dirigées par ses amis politiciens. Résultat : des bottes qui se déchirent sous la pluie, des manteaux qui prennent l'eau et des chevaux qui sont si vieux et si squelettiques qu'on est obligé de les abattre. Il vante le fusil Ross, de fabrication canadienne, que les soldats détestent car il s'enraie facilement. Tant Hughes que son fusil seront remplacés avant la bataille de la crête de Vimy.

(Ci-dessus) À Valcartier, Sam Hughes aimait galoper à cheval et présider – pour la photo – les grands défilés militaires. (À gauche) Hughes était très fier de la pelle qu'il avait inventée. Munie d'un orifice, elle pouvait servir à la fois de bouclier facial et d'outil pour creuser. Cette pelle s'étant révélée inutile, on en a détruit 25 000.

Et pourtant, il n'existe pas de camp d'entraînement à Valcartier, rien que des acres de broussailles. Même si la construction est entreprise rapidement, quand des trains entiers de recrues commencent à arriver à la fin d'août, le camp est un véritable chaos. Les hommes s'entassent dans des tentes et c'est à peine s'il y a des uniformes pour eux, encore moins des fusils et du matériel. Dans le chaos qui règne à Valcartier, peu de temps est consacré à l'entraînement. Comme l'a écrit un officier dans une lettre à sa famille : « Nous ne sommes pas du tout préparés pour aller au combat. » Et pourtant, vers la fin de septembre,

(À gauche, en haut) Des hommes sont allongés au soleil à côté de quelques-uns des 8 000 chevaux présents à Valcartier. Il se faisait peu de véritable entraînement dans le camp, même si certains soldats s'exerçaient au tir avec le fusil Ross.
(À gauche, en bas) Deux recrues posent avec leur fusil Ross à baïonnette. À la fin d'octobre, les soldats du premier contingent canadien s'entraînent à Salisbury Plain, en Angleterre (ci-contre). Défilés au pas et exercices de baïonnette (ci-contre, en médaillon) ont lieu non loin du monument ancien de Stonehenge.

Sam Hughes annonce que les 30 617 soldats qui forment le Corps expéditionnaire canadien sont prêts à s'embarquer à Québec pour l'Europe. « Chers soldats », déclare Hughes dans le message d'adieu qu'il leur adresse, « le monde vous considère comme une merveille. » Pour les hommes entassés sur les navires au milieu des chevaux et du matériel, cette remarque est une farce.

À leur arrivée en Angleterre, les recrues canadiennes sont envoyées dans un camp d'entraînement situé à Salisbury Plain. Et les officiers de l'armée britannique ne les considèrent pas le moins du monde comme une « merveille ». En réalité, ils trouvent plutôt une cohue d'éléments indisciplinés n'ayant aucun entraînement. Les Canadiens, quant à eux, n'ont que faire de l'attitude snob et guindée des Britanniques. « Nous sommes venus ici pour nous battre, déclarent les Canadiens, pas pour saluer. »

Des pluies anormalement abondantes ne tardent pas à transformer le camp militaire anglais en un champ de boue. Les conditions climatiques désastreuses retardent encore davantage l'entraînement. Cependant, en février 1915, le *War Office* (ministère de la Guerre britannique) annonce que le premier contingent canadien est prêt à être envoyé en France pour combattre. Les jeunes hommes qui, de Victoria à Halifax, s'étaient précipités pour s'enrôler, sont sur le point de découvrir le vrai visage de la guerre.

Canadian Recruits undergo training at Salisbury.

DANS LES TRANCHÉES

Au début du mois d'avril 1915, la 1re Division canadienne se retrouve dans les tranchées, près d'Armentières. Entre ces soldats et les lignes ennemies s'étendent seulement 30 mètres d'un « no man's land » jonché de fils de fer barbelés et défoncé par les trous laissés par les obus allemands. Les soldats apprennent vite à garder la tête baissée, car les mitrailleuses ou les tireurs embusqués ennemis peuvent à tout moment viser celui qui n'est pas vigilant. Derrière les tranchées de première ligne, il y a des tranchées de soutien qui permettent d'approvisionner les soldats en eau, munitions et

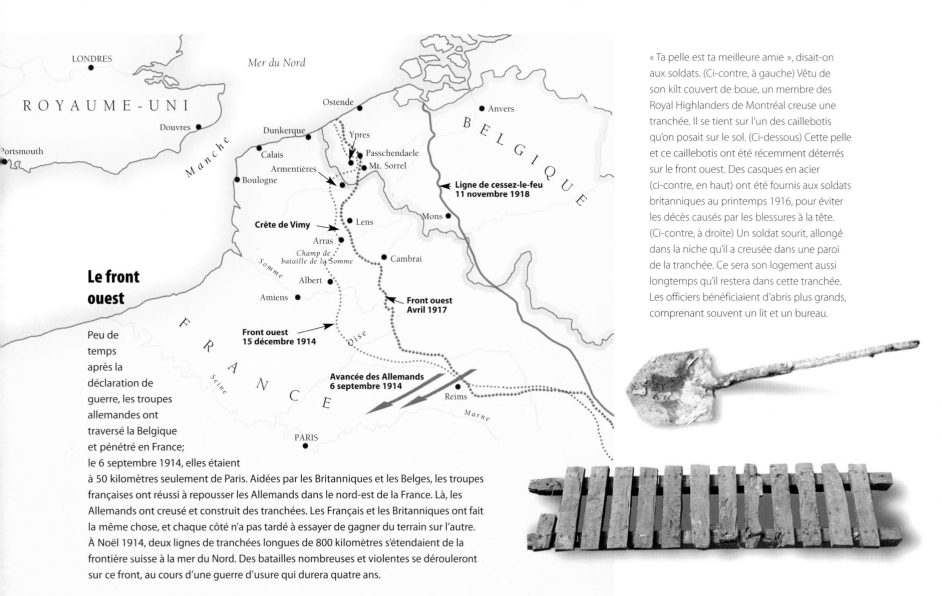

Le front ouest

Peu de temps après la déclaration de guerre, les troupes allemandes ont traversé la Belgique et pénétré en France; le 6 septembre 1914, elles étaient à 50 kilomètres seulement de Paris. Aidées par les Britanniques et les Belges, les troupes françaises ont réussi à repousser les Allemands dans le nord-est de la France. Là, les Allemands ont creusé et construit des tranchées. Les Français et les Britanniques ont fait la même chose, et chaque côté n'a pas tardé à essayer de gagner du terrain sur l'autre. À Noël 1914, deux lignes de tranchées longues de 800 kilomètres s'étendaient de la frontière suisse à la mer du Nord. Des batailles nombreuses et violentes se dérouleront sur ce front, au cours d'une guerre d'usure qui durera quatre ans.

« Ta pelle est ta meilleure amie », disait-on aux soldats. (Ci-contre, à gauche) Vêtu de son kilt couvert de boue, un membre des Royal Highlanders de Montréal creuse une tranchée. Il se tient sur l'un des caillebotis qu'on posait sur le sol. (Ci-dessous) Cette pelle et ce caillebotis ont été récemment déterrés sur le front ouest. Des casques en acier (ci-contre, en haut) ont été fournis aux soldats britanniques au printemps 1916, pour éviter les décès causés par les blessures à la tête. (Ci-contre, à droite) Un soldat sourit, allongé dans la niche qu'il a creusée dans une paroi de la tranchée. Ce sera son logement aussi longtemps qu'il restera dans cette tranchée. Les officiers bénéficiaient d'abris plus grands, comprenant souvent un lit et un bureau.

vivres. Personne ne meurt de faim puisqu'il y a toujours du corned-beef, du pain, des biscuits, du thé et de la confiture, mais les soldats ont constamment faim. Durant les premières semaines, 100 hommes sont ou tués ou blessés, ce qui est considéré comme « normal » sur le front Ouest. Au début d'avril, toutefois, la 1re Division canadienne apprend qu'elle doit se diriger vers le nord, à Ypres, une ville située dans les Flandres, une région de la Belgique. Ypres a la réputation d'être un champ de bataille redoutable et sanglant.

« On parle maintenant de tranchées. [...] ce mot est trop romantique. [...]
C'était plutôt des fossés. Le temps passait et il n'y avait pas d'évacuation,
ni pour les ordures ni pour les eaux usées. [...] L'odeur était âcre, bizarre [...]
Et partout, les petits cris aigus de ces rats énormes, monstrueux. [...]
Et dans cet environnement, des hommes ont vécu [...] année après année. [...] » — Le lieutenant Gregory Clark

503 - Attaque aux gaz - Somme -

AUX GAZ!

Le soir du 22 avril 1915, les soldats canadiens embusqués dans les tranchées près d'Ypres sont choqués à la vue de soldats français qui courent vers eux, suffoquant et pris de haut-le-cœur. « Ils crachaient carrément leurs poumons », dira le major Andrew McNaughton. Les Allemands ont lancé du chlore, un gaz toxique. Deux jours plus tard, les nuages empoisonnés, d'un jaune verdâtre, atteignent les lignes canadiennes. On demande aux hommes d'uriner dans leur mouchoir et de le maintenir sur leur nez. Ce geste ne sert pas à grand-chose et pourtant, les hommes continuent à se battre. Leurs fusils Ross s'enraient à cause de la boue et du tir rapide. Étonnamment, les Canadiens gardent leur position jusqu'à l'arrivée des renforts. À la fin de la bataille, Ypres reste aux mains des Alliés. Les pertes de ce qu'on a appelé la seconde bataille d'Ypres sont considérables : plus de 6700 hommes sont tués. Les Canadiens ont fait leurs preuves au combat... mais à un prix terrible.

Les nuages de gaz qui approchaient (à gauche) étaient un spectacle terrifiant. Cette photographie aérienne du champ de bataille de la Somme montre que le vent chasse le gaz vers l'ouest. Les premières cagoules anti-gaz (à droite et ci-contre, à gauche) obstruaient la vue et étaient recouvertes d'une substance chimique qui irritait le visage. Par la suite, les masques à gaz identiques à celui que l'on voit sur cette peinture de Frederick Varley (à gauche, en haut) seront plus efficaces. (Ci-contre, en haut, à gauche) Ce soldat gardera toujours les cicatrices des brûlures et des cloques provoquées par le gaz moutarde.

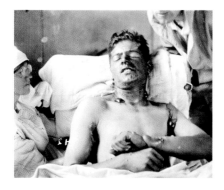

« Un homme gazé meurt dans des souffrances atroces. Il devient complètement noir [...] il agonise pendant cinq ou six minutes et puis... il "passe l'arme à gauche". »

— Le soldat Harold Peat, 3ᵉ Bataillon

« Leurs boutons en cuivre sont verts. »

« Il y avait 200 ou 300 hommes allongés dans ce fossé. Certains se tenaient la gorge. Leurs boutons en cuivre étaient verts. Leur corps était enflé. Il y en avait qui vivaient encore [...] on croyait que c'était des Allemands. Un gars plus curieux que les autres a retourné un des morts. Sur l'épaulette du cadavre, il a vu un insigne en cuivre portant l'inscription CANADA et il s'est écrié : "Ce sont des Canadiens!" Certains d'entre nous ont dit : "On ne le savait même pas!" Certains Canadiens continuaient à se tordre de douleur par terre, la langue pendante. »

— Le soldat britannique David Shand qui décrit l'attaque aux gaz lancée près d'Ypres

« [...] des dizaines de milliers de nos hommes sont maintenant tombés et ils ne se relèveront plus. [...] À perte de vue,

vois des rangées de cadavres. [...] J'ai perdu mes vieux copains aujourd'hui. »

— Extrait du journal du soldat britannique Robert Cude, le 1er juillet 1916

IMPASSE ET MASSACRE

Au pays, les Canadiens sont choqués en voyant les longues listes des victimes de la seconde bataille d'Ypres. Et les gaz toxiques illustrent à quel point la guerre moderne peut être cruelle. À l'été 1915, le Corps canadien compte 150 000 hommes; le premier ministre Robert Borden s'engage à le faire passer à 500 000 en 1916. Cependant, les volontaires n'envahissent plus les centres de recrutement. L'année 1916 s'avérera encore plus sanglante. Au début de juin, plus de 8 000 Canadiens meurent dans la bataille pour une seule colline appelée le mont Sorrel. Le premier jour de juillet, la bataille de la Somme débute dans le pire bain de sang de l'Histoire. Aux abords d'un village appelé Beaumont-Hamel, 780 Terre-Neuviens avancent vers les lignes ennemies; seuls 110 sortiront indemnes. À la fin de cette journée effroyable, 57 470 soldats de l'Empire britannique sont ou morts ou blessés. Et à la fin de l'offensive de la Somme en novembre, le Canada compte 24 029 pertes. Les pertes alliées s'élèvent à plus de 620 000 hommes.

Les Allemands comptent plus de un million de morts. Et aucun des deux camps n'a gagné quoi que ce soit ou presque.

(Ci-contre) Des Canadiens épuisés par le combat font marche arrière péniblement, en pataugeant dans la boue. Leurs camarades moins chanceux reposent dans des tombes à fleur de terre, érigées sur le champ de bataille, semblables à celle qui est illustrée ci-dessus. À la mi-1916, la plupart des Canadiens partaient au combat armés de fusils Lee-Enfield qui tiraient des balles de calibre 303 (à gauche), illustrées ici grandeur nature. (Ci-dessous, à gauche) Un soldat portant un bandage semble content de faire partie des blessés encore capables de marcher, tandis qu'une victime plus grièvement atteinte (ci-dessous, au centre) est transportée dans une ambulance à cheval. (Ci-dessous, à droite) Une infirmière surveille le transfert d'un patient dans un train qui le conduira à l'hôpital. Au cours de la guerre, 2504 infirmières canadiennes ont servi outre-mer et 46 d'entre elles sont mortes en service.

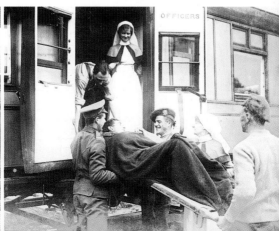

L'ARRIVÉE À VIMY

Après le massacre de la Somme, les Alliés ont grandement besoin d'effectuer une percée. Pour y parvenir, cependant, il leur faut détruire le bastion allemand de la crête de Vimy. Cet escarpement de 15 kilomètres, situé au nord de la ville française d'Arras, assurait une vue sur toute la région avoisinante, rendant une attaque surprise quasiment impossible. Des canons de toutes sortes étaient déployés le long du versant et, sous sa surface boueuse, s'étendaient des tunnels et des cavernes creusés dans la craie tendre. À en croire les Allemands, la crête était imprenable. Depuis octobre 1914, plus de 160 000 soldats français et britanniques avaient péri au cours des assauts lancés sur la crête de Vimy. Il revenait désormais aux Canadiens de s'en emparer. Les troupes, considérées auparavant comme une bande de coloniaux sans discipline ni entraînement, l'étaient désormais comme l'une des forces combattantes les plus efficaces au sein des Alliés.

Quand les Canadiens arrivent à Vimy en décembre 1916, les Allemands hissent un panneau qui dit : « Bienvenue aux Canadiens! ». Le jour de Noël, les soldats du Princess Patricia's Light Infantry organisent une trêve avec certains Allemands et échangent avec eux des toasts au rhum. Cependant, chacun regagne bien vite son poste et le soir même, la fusillade reprend. Un hiver froid et rude attend les combattants.

> « Vous réussirez peut-être à atteindre le sommet de la crête de Vimy, mais je peux vous dire ceci : il suffira d'une chaloupe pour ramener les Canadiens qui survivront. »
>
> — Un officier allemand capturé avant la bataille de Vimy

(Ci-dessus) Des Canadiens installent leur camp derrière les tranchées de Vimy. Les tombes des soldats français apparaissent au premier plan.
(À gauche) Un figurant d'aujourd'hui pose en tenue de combat, avec casque et bandes molletières. Il tient un fusil Lee-Enfield muni d'une baïonnette.

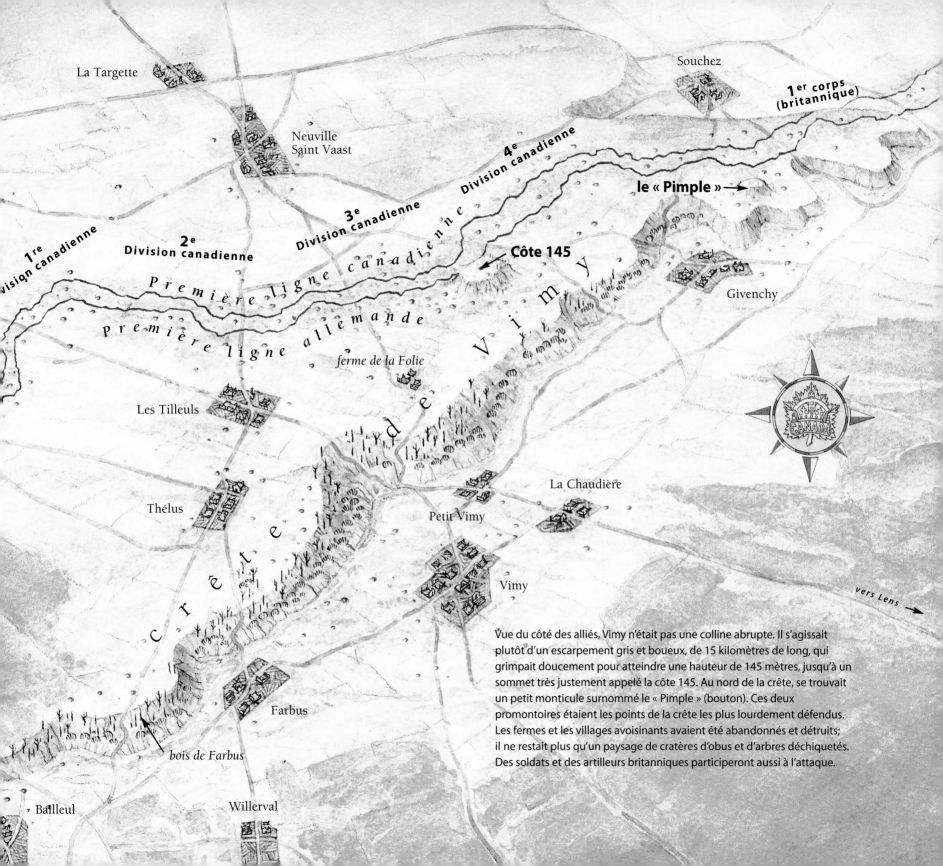

La Targette

Souchez

1er corps (britannique)

Neuville Saint Vaast

4e Division canadienne

le « Pimple » →

3e Division canadienne

Côte 145 ←

Première ligne canadienne

1re Division canadienne

2e Division canadienne

Première ligne canadienne

Première ligne allemande

Givenchy

ferme de la Folie

c r ê t e   d e   V i m y

Les Tilleuls

La Chaudière

Thélus

Petit Vimy

Vimy

vers Lens →

bois de Farbus

Farbus

Vue du côté des alliés, Vimy n'était pas une colline abrupte. Il s'agissait plutôt d'un escarpement gris et boueux, de 15 kilomètres de long, qui grimpait doucement pour atteindre une hauteur de 145 mètres, jusqu'à un sommet très justement appelé la côte 145. Au nord de la crête, se trouvait un petit monticule surnommé le « Pimple » (bouton). Ces deux promontoires étaient les points de la crête les plus lourdement défendus. Les fermes et les villages avoisinants avaient été abandonnés et détruits; il ne restait plus qu'un paysage de cratères d'obus et d'arbres déchiquetés. Des soldats et des artilleurs britanniques participeront aussi à l'attaque.

Bailleul

Willerval

NE RIEN NÉGLIGER

Les Canadiens envoyés à Vimy apprécient leur commandant, le général Julian Byng. Contrairement à beaucoup d'autres officiers britanniques, il n'est pas guindé ou distant. Il ne s'intéresse ni aux boutons astiqués ni aux saluts élégants, mais plutôt à ses soldats. Et il est hors de question qu'il en sacrifie à cause d'une mauvaise planification. Byng fait donc appel au général canadien en qui il a le plus confiance, soit Arthur Currie, afin que ce dernier se renseigne le mieux possible sur les batailles désastreuses de 1916. Currie est l'homme idéal pour cette mission. Il s'attache toujours aux détails et est extrêmement organisé, à tel point qu'il se dresse une liste de « Choses à ne pas oublier ». L'une des devises écrites sur sa liste est la suivante : « Une préparation approfondie doit mener au succès. Il ne faut rien négliger. »

« Nous avons eu une confiance totale en nos soldats et nous nous sommes entièrement confiés à eux. Nous étions certains que personne ne déserterait et n'irait divulguer des renseignements. Et personne ne l'a fait. »

— Capitaine D.C. MacIntyre

(Ci-dessus, à gauche) Derrière les lignes, les soldats canadiens analysent des cartes semblables à celle que l'on voit à droite. (Ci-dessus, à droite) Le général Arthur Currie (deuxième à partir de la gauche), en compagnie d'autres officiers supérieurs et de politiciens en visite, observe les troupes qui s'entraînent pour le combat.

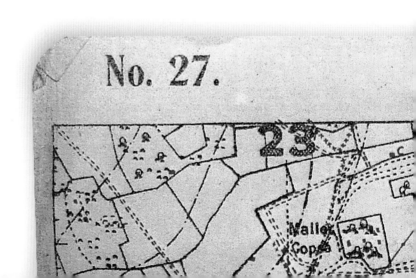

L'une des premières recommandations faites par Arthur Currie à son retour de sa mission d'enquête est simple : il faut fournir des cartes à tous les soldats. C'est une nouveauté pour l'Armée britannique où les cartes ont toujours été réservées aux officiers. On produit donc 40 000 cartes afin que chaque soldat y marque jusqu'à quel point de la crête il devra avancer. Et chaque soldat doit connaître tous les détails du plan d'attaque, à l'exception de la date choisie. Ainsi, on fait confiance aux soldats au lieu de leur demander d'obéir aveuglément aux ordres. Cette façon de faire aura un effet considérable sur leur moral. Au cours des mois qui suivent, chaque détail de l'attaque est soigneusement planifié et mis en pratique, ce qui fera de Vimy la bataille pour laquelle on se sera le plus entraîné dans toute l'Histoire.

BYNG ET CURRIE Julian Byng, 54 ans, (ci-dessus, à gauche) était un aristocrate anglais instruit. Arthur Currie, 45 ans, (ci-dessus, à droite) était un fermier de l'Ontario qui n'avait qu'une éducation de niveau secondaire. Byng était un soldat professionnel d'expérience; Currie avait appris la stratégie militaire dans des livres alors qu'il était soldat la fin de semaine dans une milice de Victoria, en Colombie-Britannique. Byng était svelte et portait une moustache de militaire, bien taillée; Curry avait une silhouette en forme de poire et de grosses bajoues et, contrairement à Byng, il n'a jamais été très aimé des soldats. Pourtant, Arthur Currie a probablement été le meilleur général que le Canada ait jamais eu.

« L'air était humide et lourd. »

« Ils nous ont fait descendre [...] dans un tunnel de craie.
Il faisait froid dehors, mais quand nous sommes descendus,
tout était silencieux et il faisait chaud. [...] Nous travaillions
à tour de rôle et vite [...] un homme taillait la craie avec un
couteau [...] et il en faisait passer de gros
blocs à son aide. Nous faisions passer
la craie à l'arrière jusqu'à ce qu'elle
parvienne à un wagonnet sur rails qui
la transportait jusqu'au monte-charge.
[...] L'air était humide et lourd et nous
transpirions beaucoup. Le responsable
nous interdisait de parler. À tout
moment, en enlevant un bloc de craie,
nous risquions de découvrir un abri
allemand rempli de soldats! »

— Will R. Bird
42e Bataillon d'infanterie

LA GUERRE SOUTERRAINE
Le front de
Vimy est constitué d'un labyrinthe de tranchées auxquelles on a
donné des noms de rues. Sous ces tranchées se trouve tout un
dédale de cavernes – dont certaines sont suffisamment grandes
pour contenir des centaines de soldats – et de tunnels. L'un des
plus grands, le tunnel de la Grange, possède un passage principal
de 685 mètres de long. Il y a aussi des tunnels latéraux et des
pièces souterraines qui abritent des dépôts de munitions, des
logements pour les officiers, une chapelle, des bureaux et un
immense réservoir d'eau. Byng et ses planificateurs comprennent
vite qu'on peut aussi se servir de ces tunnels lors de l'attaque.
On commence donc à creuser 12 tunnels qui doivent mener
directement à la ligne d'attaque, et même au-delà. À l'heure H,
on ouvrira les tunnels en les faisant exploser, et les soldats en
surgiront pour se lancer au cœur du champ de bataille.

(Ci-dessus, à gauche) Deux soldats soulèvent de la craie provenant d'un tunnel tandis qu'un officier écoute avec un géophone pour savoir si les Allemands creusent non loin de là. (Ci-contre, à droite) On peut encore voir de nos jours un wagonnet sur rails dans le tunnel de la Grange, à Vimy. Les soldats gravaient des inscriptions dans la craie tendre des parois du tunnel; la gravure d'une feuille d'érable (à droite) a été conservée. (Ci-contre, à gauche, en bas) Le tunnel de la Grange comportait de nombreuses pièces souterraines et, des 12 tunnels, c'était le plus grand.

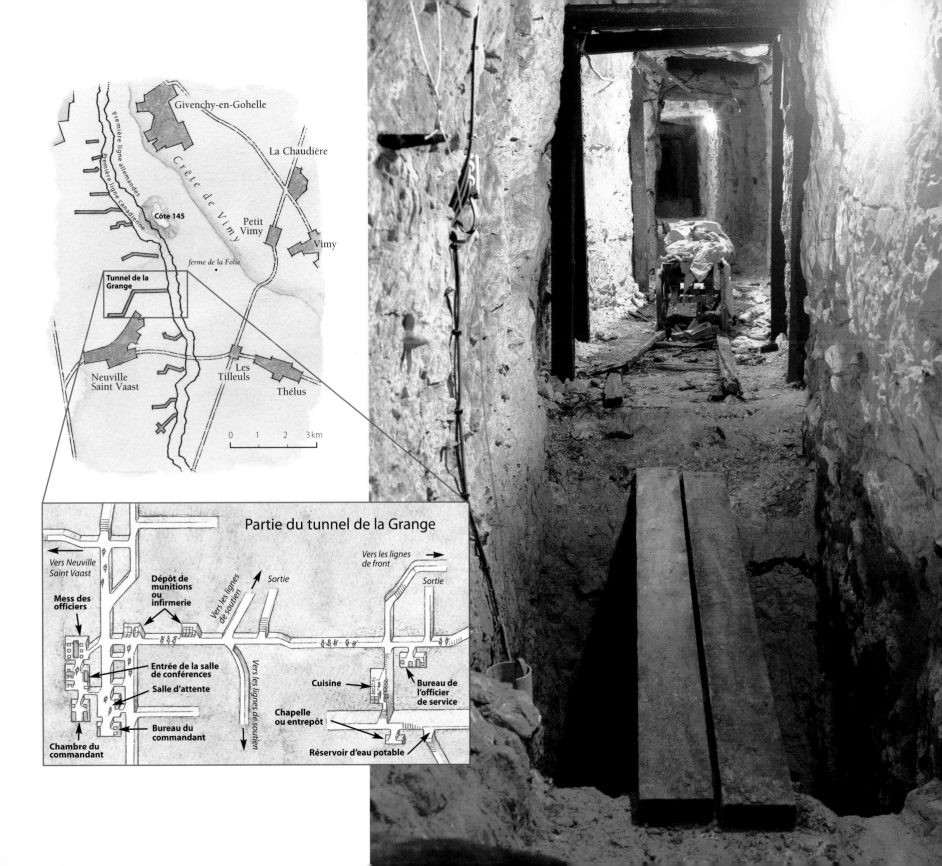

Givenchy-en-Gohelle

La Chaudière

Crête de Vimy

Côte 145

Petit Vimy

Vimy

ferme de la Folie

Première ligne allemandes

Première ligne canadienne

Tunnel de la Grange

Neuville Saint Vaast

Les Tilleuls

Thélus

0   1   2   3km

Partie du tunnel de la Grange

Vers Neuville
Saint Vaast

Mess des
officiers

Dépôt de
munitions
ou
infirmerie

Vers les lignes
de soutien

Sortie

Vers les lignes
de front

Sortie

Entrée de la salle
de conférences

Salle d'attente

Vers les lignes de soutien

Cuisine

Bureau de
l'officier
de service

Chambre du
commandant

Bureau du
commandant

Chapelle
ou entrepôt

Réservoir d'eau potable

« Nous avions le visage tout noir [...] Nous avons surpris des Allemands dans leurs abris [...] et nous avons ramené 12 prisonniers tout tremblants. Nous n'avons subi aucune perte [...] c'est surprenant. »

— Victor Odlum qui décrit sa première attaque surprise sur une tranchée ennemie

LES ATTAQUES SURPRISES

Les Canadiens savent comment effectuer des attaques surprises de tranchées; en fait, ils les ont inventées. Au cours des quatre mois qui précèdent l'attaque de Vimy, 55 attaques surprises sont lancées sur les positions allemandes. Certaines sont de courte durée et n'engagent qu'une poignée d'hommes; d'autres nécessitent des centaines de soldats et des semaines de planification. Selon Julian Byng, les attaques de ce genre sont bonnes pour le moral des troupes; Arthur Currie trouve qu'elles ne sont utiles que pour recueillir des renseignements et que les attaques de grande envergure mettent trop de vies en danger.

La plus grande attaque surprise d'entre toutes prouvera que Currie avait raison. Elle a pour objectif d'affaiblir les défenses allemandes postées sur les hauteurs de la crête. Elle commence le matin du 1er mars 1917 par l'envoi de nuages de gaz toxiques. Cependant,

L'expert de l'attaque surprise

C'est Victor Odlum (à droite) qui a mis au point l'attaque surprise de nuit contre les tranchées ennemies. Odlum commandait le 7e Bataillon (Colombie-Britannique) en novembre 1915. Ses soldats s'ennuyaient et ils avaient froid. L'un d'eux a suggéré d'effectuer une attaque sur les tranchées ennemies pour rompre la monotonie. Odlum a soigneusement planifié l'attaque pendant 10 jours. L'opération a été un succès et les Canadiens n'ont pas tardé à être connus pour leur habileté à effectuer des attaques surprises. Les Français ont bientôt demandé à Odlum de leur montrer comment il s'y était pris. Au cours d'une de ces attaques, Odlum a refusé de porter un casque pour que ses soldats puissent en tout temps le repérer. En arrivant à Vimy, Odlum avait le grade de brigadier général. Son savoir-faire et sa chance en matière d'attaques surprises sur les tranchées ennemies n'ont cependant pas empêché l'attaque désastreuse du 1er mars 1917.

les Allemands s'y attendaient. Ils mettent donc leurs masques à gaz, positionnent soigneusement leurs mitrailleuses et fauchent les Canadiens à mesure qu'ils s'approchent. Le vent change de direction et renvoie les gaz toxiques dans le visage des assaillants. Le gaz ronge les poumons des blessés étendus dans le « no man's land ». Sur les 1700 soldats qui ont participé à l'attaque surprise, seuls 685 en sont revenus.

(Ci-contre) L'artiste de guerre Howard Mowat a illustré des hommes qui partent pour une attaque de nuit et (à droite) qui se lancent dans un combat effrayant, dans une tranchée ennemie. L'arme clé de ces attaques surprises était la petite grenade Mills (à gauche, grandeur nature). Le lanceur de bombe enlevait la goupille; avec sa main, il tenait la manette baissée, puis il lançait la grenade dans un abri ou une tranchée. (En haut) Deux jours après l'attaque du 1er mars, une trêve est déclarée. Les soldats allemands ramassent les morts et les blessés suite à l'attaque, et les remettent aux Canadiens.

À LA SECONDE PRÈS
Après le coup de main du 1er mars, l'entraînement en vue de l'offensive principale sur Vimy s'intensifie. Arthur Currie sait qu'il ne peut se permettre aucun autre échec. Derrière les lignes, on prépare, au moyen de ruban blanc, une réplique, réalisée à l'échelle, du système de tranchées allemand. Des poteaux indicateurs marquent les tranchées ennemies et des drapeaux de couleur indiquent l'emplacement de chacune des forteresses et des mitrailleuses... et même celui des réseaux de barbelés. Les soldats s'entraînent tous les jours sur cette réplique.

Et ils s'entraînent à l'aide de chronomètres. Une précision à la seconde près est primordiale puisque l'assaut doit avoir lieu sous un « barrage roulant ». Celui-ci débutera par un tir simultané des gros canons de l'artillerie. Les soldats avanceront et attendront la fin des tirs. Les canons viseront ensuite la cible suivante et un autre groupe de soldats avancera à son tour. S'ils avancent trop vite, ils se feront tuer par leurs propres canons. S'ils avancent trop lentement, l'ennemi se ressaisira et leur tirera dessus. Comme leur dira Julian Byng : « Les gars, vous devrez avancer exactement comme un train, à l'heure, ou vous serez anéantis. »

Des séances d'instructions (ci-contre, en haut, à gauche) et des répétitions sur une réplique, réalisée à l'échelle, du système de tranchées allemand (ci-contre, en haut, à droite) ont eu lieu tous les jours pendant des semaines avant l'attaque de Vimy. Pendant que les fantassins s'exercent à avancer sous un barrage roulant (ci-dessous), des chevaux de bât transportent au front (ci-contre, en bas) des obus destinés à l'artillerie. (À droite) On pouvait enfoncer sans bruit ce pieu en fer pour maintenir les barbelés. (À l'extrême droite) Des soldats allemands s'exercent à couper les barbelés.

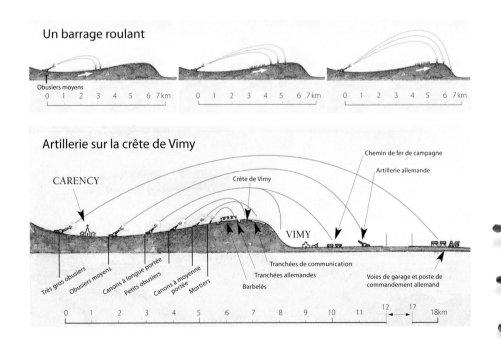

Un barrage roulant

Obusiers moyens
0 1 2 3 4 5 6 7km

0 1 2 3 4 5 6 7km

0 1 2 3 4 5 6 7km

Artillerie sur la crête de Vimy

Chemin de fer de campagne
Artillerie allemande
CARENCY
Crête de Vimy
VIMY
Tranchées de communication
Tranchées allemandes
Barbelés
Voies de garage et poste de commandement allemand
Très gros obusiers Obusiers moyens Canons à longue portée Petits obusiers Canons à moyenne portée Mortiers
0 1 2 3 4 5 6 7 8 9 10 11 12 17 18km

Faire exploser les barbelés

D'énormes rouleaux de barbelés (en haut) servaient à protéger les positions ennemies. Les gémissements des soldats mourants, pris au piège dans les barbelés, étaient un souvenir obsédant de la Somme. Julian Byng était bien décidé à obtenir une nouvelle invention appelée la fusée 106. Elle permettrait à des obus explosifs puissants d'éclater au contact des barbelés, y créant ainsi des trouées. Quand la fusée 106 est arrivée à Vimy en janvier, Byng savait qu'il possédait un autre atout pour la victoire.

Des membres de l'unité de contre-batterie se servent de la détection sonore pour tenter de localiser les canons ennemis (ci-dessous). Cette information sera ensuite transmise par téléphone de campagne (en bas, à gauche) aux officiers artilleurs responsables des gros canons tels que cet obusier (à gauche). Le matin de l'assaut sur Vimy, les Canadiens ont réussi à détruire 176 canons allemands sur un total de 212. Les renseignements fournis par les photographies aériennes (ci-contre, à gauche) ont été précieux. Les deux zigzags parallèles (visibles au centre) indiquent les tranchées de première ligne qui se font face à Vimy.

LE GÉNIE DE LA CONTRE-BATTERIE

Byng et Currie savent que, dès que les Canadiens commenceront leur barrage d'artillerie, les Allemands riposteront avec leurs gros canons. Et si les Canadiens parvenaient à localiser les canons ennemis et les détruisaient en premier? C'est Andrew McNaughton, alors âgé de 29 ans, qui est chargé de relever ce défi impressionnant. « Andy » McNaughton est un excentrique : il dort à même le sol et a un lionceau pour animal de compagnie. Mais cet homme a aussi un esprit scientifique très vif qui convient parfaitement à ce que l'armée a nommé la « contre-batterie ».

L'unité de contre-batterie de McNaughton attire d'autres cerveaux brillants qui contribuent à mettre au point deux méthodes ingénieuses de localisation des canons : par détection sonore et par repérage des feux. Ces deux méthodes nécessitent une série de

soldats en poste le long du front, qui retransmettront les renseignements au quartier général de McNaughton. Bien vite, son équipe est capable de déterminer la position d'un canon allemand à 22 mètres près, et le type et le calibre du canon en moins de 3 minutes. Elle se sert aussi de toutes les informations recueillies lors des attaques surprises sur les tranchées et auprès des prisonniers allemands, ainsi que de celles fournies par les photographies aériennes prises par les ballons d'observation et les audacieux pilotes du Royal Flying Corps.

« De l'avis du haut commandement de l'armée britannique, chacun de nous aurait dû se faire examiner la tête.
Pour eux, ce que nous faisions n'était pas la guerre, mais plutôt une sorte de fandango. »

— Le major Andrew McNaughton, parlant de son unité de contre-batterie

« Ce n'était pas une sensation très agréable. »

À un moment donné, alors qu'il recueillait des renseignements à bord d'un ballon d'observation, à 1200 mètres d'altitude (ci-dessus, à gauche et à droite), Andy McNaughton (ci-dessous) a essuyé des tirs ennemis. « Tout à coup, on a entendu le grondement terrible d'un obus naval qui a explosé près de nous, a-t-il raconté. Et il n'y avait, entre lui et nous, rien d'autre qu'une nacelle en osier. Ce n'était pas une sensation très agréable. » McNaughton s'est servi de son expertise pour calculer la position du canon allemand et il l'a transmise par téléphone à ses hommes au sol. Des canons à longue portée alliés ont bombardé la position allemande et McNaughton a pu revenir sur terre sain et sauf.

LA GUERRE AÉRIENNE

Pendant que les soldats au sol se préparent à prendre l'offensive, la bataille pour la suprématie dans le ciel, au-dessus de Vimy, a déjà commencé. Les Allemands possèdent moins d'avions que les Alliés, mais l'adresse et la témérité de leurs pilotes – en particulier celui qu'on a surnommé le « Baron Rouge », Manfred von Richthofen – compensent largement ce manque. Après avoir assisté à un combat entre avions de chasse, un soldat canadien a écrit : « On ne peut s'empêcher d'admirer la grâce et l'habileté avec lesquelles le Baron Rouge manœuvre son appareil et l'audace qu'il a de le peindre en rouge. [...] »

Le célèbre pilote canadien Billy Bishop est devenu officiellement un as à Vimy, le 7 avril 1917. Il a pour cible un ballon d'observation allemand. Au moment où Bishop s'apprête à plonger dessus, il entend un tir de mitrailleuse provenant d'un avion de chasse allemand qui se dirige droit sur lui. Bishop riposte et abat son assaillant. Mais il remarque que le ballon allemand redescend sur terre. Désobéissant aux ordres, Bishop descend alors en piqué et tire sur le ballon qui, aussitôt, prend feu. La descente en piqué a provoqué une panne de son moteur. Alors qu'il plane à basse altitude au-dessus des lignes allemandes, il se prépare soit à mourir, soit à être fait prisonnier. Puis, brusquement, son moteur se remet en marche et Bishop file vers son camp, juste au-dessus des têtes des artilleurs ennemis interloqués. Avant la fin d'avril, Bishop aura abattu 17 avions et sera devenu l'as de l'escadron.

Manfred von Richthofen (à droite) a abattu 80 avions avant d'être lui-même abattu en avril 1918. Ce Sopwith Camel écrasé au sol (à l'extrême droite) pourrait avoir été l'une des victimes du « Baron Rouge ». Billy Bishop, le plus grand as canadien (ci-contre, à gauche) a abattu 72 avions et survécu à la guerre. Ces lunettes de vol (ci-dessous) ressemblent à celles qu'il devait porter. Ce tableau dramatique (ci-contre), peint par C.R.W. Nevinson, illustre Bishop dans le feu de l'action.

« Ce n'est pas du tout un jeu d'enfant que de tournoyer au-dessus des batteries de l'artillerie allemande [...] votre appareil est ballotté dans le ciel, attaqué de tous côtés par des obus qui éclatent, et des gerbes noires d'éclats d'obus approchent à chaque fois un peu plus près. [...] »

— L'as canadien Billy Bishop, décrivant une mission d'observation aérienne à Vimy

LA SEMAINE DE SOUFFRANCE

Vers la fin mars, on transporte sur place les obusiers de 38 cm, à côté des autres gros canons déjà présents derrière les lignes. C'est un signe évident que l'assaut approche. Chacun de ces monstres pèse 20 tonnes et lance des obus de 680 kg. Le 2 avril, la phase suivante du plan de l'artillerie est mise à exécution. Au cours des 7 jours suivants, 50 000 tonnes d'explosifs sont envoyées sur les défenses allemandes. « Les obus passaient au-dessus de nos têtes comme de l'eau qui sort d'un tuyau, a raconté un Canadien, et ils éventraient la région, qui s'est transformée en un désert criblé de cratères boueux. »

Les Allemands parleront de « semaine de souffrance ». Les vivres ne pouvant pas être apportés au front, les soldats souffrent de la faim. Il est impossible de dormir à cause des tirs incessants et de la crainte qu'une attaque ait lieu à tout moment. Le 6 avril, le Vendredi saint, des officiers supérieurs canadiens apprennent que l'assaut aura lieu le 9, le lundi de Pâques. La nouvelle, ce jour-là, que les Américains se sont joints aux Alliés remonte le moral des troupes alors que les préparatifs en vue de la bataille se poursuivent dans les tranchées et les tunnels.

(Ci-contre, en haut) Des artilleurs canadiens posent pour la photo avec des obus. Des milliers d'obus semblables à ceux-ci et à cet obus à balles (ci-contre, à droite) de plus de 8 kg ont été tirés sur les tranchées allemandes par les canons alliés (ci-contre, en bas). Le bombardement incessant a stoppé les colonnes de ravitaillement allemandes (ci-dessus) et l'approvisionnement en vivres pour les soldats et en munitions pour les canons allemands géants (à droite).

L'HEURE H APPROCHE

« Quel contraste avec le sens réel de ce jour saint! » écrit un soldat dans son journal, le dimanche de Pâques, 8 avril 1917. « Je n'ai jamais entendu un bombardement aussi intense que celui de la nuit dernière. » C'est une journée de printemps radieuse et agréable, et au cours de l'après-midi, des fanfares militaires jouent des airs entraînants tandis que les soldats prennent leurs positions en prévision de l'attaque. Pendant que des milliers d'hommes avancent péniblement dans les tranchées boueuses ou parcourent les tunnels, ils se lancent des « Voilà les Van Doos! » ou « Bonne chance, Toronto! » Cette nuit-là, les hommes ne dormiront pas puisqu'ils attendent debout, avec tout leur matériel de combat, dans les tunnels humides et chauds ou

(Ci-dessus, à gauche) Derrière les lignes, un soldat lit son courrier. Le 8 avril, certains hommes avaient reçu des cartes de Pâques (à droite) et un grand nombre d'entre eux avaient écrit à leurs proches des lettres semblables à celle dont on a reproduit un extrait à la page ci-contre.

dans les tranchées à ciel ouvert glacées. Certains écrivent à la hâte une lettre à leurs proches « au cas où ». Après minuit, à mesure que les minutes passent, Arthur Currie demande aux officiers de vérifier et de re-vérifier leurs montres. (Il a déjà envoyé une patrouille s'assurer que tous les barbelés ont été coupés.) Un mélange de pluie et de neige fondue a commencé à tomber. Par la suite, les précipitations se changeront presque en tempête de neige. Avant l'aube, le front devient soudain silencieux. À l'heure H moins deux minutes, l'ordre est chuchoté d'un bout à l'autre des tranchées : « Baïonnette au canon! » Les secondes s'égrènent jusqu'à 5 h 30... Et puis le monde entier explose.

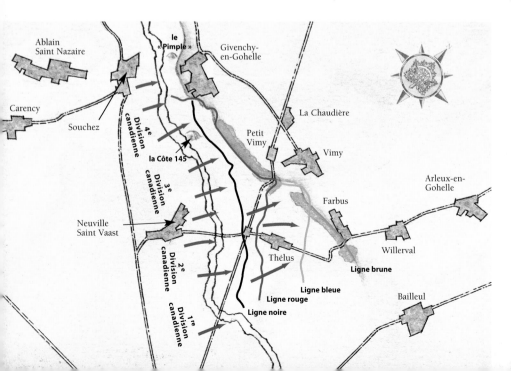

Le plan

Chaque étape de l'offensive, minutée avec soin, était indiquée sur une carte, à l'aide de lignes de couleur. Le barrage roulant allait débuter à l'aube et les premières troupes devaient atteindre la ligne noire en 35 minutes. À gauche, les 3e et 4e Divisions, qui avaient moins de terrain à parcourir, devaient parvenir au sommet de la crête jusqu'à la ligne rouge en 20 minutes. À droite, les 1re et 2e Divisions devaient se rendre plus loin; elles avaient quatre lignes à atteindre : noire, rouge, bleu et brune. La ligne brune était située du côté est de la crête et les divisions devaient l'atteindre à 13 h 18. Il n'était prévu de prendre le « Pimple » que le lendemain, car il était fortement défendu.

LA BATAILLE COMMENCE

« Imaginez le coup de tonnerre le plus fort qu'on puisse entendre, multiplié par deux et se prolongeant indéfiniment. » Voilà comment un soldat décrira la salve d'ouverture de la bataille. Des milliers d'obus pleuvent sur les tranchées et sur les positions d'artillerie allemandes, ainsi que l'a planifié Andy McNaughton. C'est ensuite au tour de l'infanterie. « Dès que le barrage d'artillerie a débuté, on a avancé et tout ce qu'on pouvait voir, c'était de la fumée et des fritz [Allemands] en train de courir », racontera un fantassin.

(Ci-dessous) C'était le barrage d'artillerie le plus important de l'histoire de la guerre. Le bruit des canons s'est fait entendre jusqu'en Angleterre.

La 1re Division d'Arthur Currie est celle qui doit se rendre le plus loin : à 5 kilomètres, dans le bois de Farbus, sur le côté le plus éloigné de la crête de Vimy. Les fantassins maîtrisent la première ligne de tranchées allemandes en une demi-heure, mais ils font face à un feu de mitrailleuses meurtrier à l'approche de la ligne rouge. Malgré de lourdes pertes, les soldats de la 1re Division poursuivent leur avancée. À 13 h 30, ils atteignent la ligne brune située de l'autre côté de la crête et s'emparent des canons allemands dans le bois de Farbus. À ce moment-là, les 2e et 3e Divisions ont, elles aussi, atteint leur objectif. Un événement sans précédent vient de se produire : une bataille s'est déroulée exactement selon le plan et, à l'heure du dîner, les trois quarts de la crête de Vimy sont aux mains des Canadiens. Au point culminant de la crête, cependant, quelque chose ne tourne pas rond. Qu'est-il arrivé à la 4e Division?

(Ci-dessus) Seuls quelques tanks – une invention récente à l'époque – ont été utilisés à Vimy. Ils ont vite été détruits par l'artillerie.
(Ci-dessous) À l'aide de drapeaux spéciaux, les bataillons signalaient aux avions en train de tournoyer que les soldats avaient atteint la position qui constituait leur objectif.

Pour la bravoure Alors que la 1re Division avançait sur la ligne rouge, le soldat William Milne (à gauche), de Moose Jaw, en Saskatchewan, a vu des cadavres empilés devant une mitrailleuse allemande (ci-dessous).
Il a sauté dans un trou d'obus à proximité, a rampé dans la boue et a lancé une bombe Mills qui a détruit la mitrailleuse. Un peu plus d'une heure plus tard, il a remarqué qu'on tirait des balles depuis une meule de foin, juste devant lui. D'un bras sûr, il a lancé une autre bombe Mills qui a détruit le fusil caché dans la meule de foin. Il a ensuite foncé sur le peloton allemand, qui s'est rendu. Milne a reçu la Croix de Victoria (ci-dessus) pour sa bravoure, mais la médaille a été donnée à sa famille, car il a été tué un peu plus tard, le même jour.

La côte 145

La 4ᵉ Division s'est vu assigner la tâche la plus difficile : mettre la main sur la côte 145, le point culminant de la crête... et le plus fortement défendu. Cependant, la 4ᵉ Division a perdu un grand nombre de soldats et d'officiers expérimentés lors de l'incursion du 1ᵉʳ mars dans les tranchées, et l'un de ses officiers survivants va prendre une décision fatale. Il demande à l'artillerie de laisser une tranchée allemande intacte afin que ses soldats puissent s'en servir pour se protéger des canons qui font feu à partir du sommet. Les Canadiens vont plutôt trouver cette tranchée remplie d'Allemands qui tirent furieusement sur eux! Dans les six premières minutes de l'offensive, la moitié des hommes du 87ᵉ Bataillon, les Grenadier Guards de Montréal, sont fauchés.

L'après-midi, la progression de la 4ᵉ Division est chaotique. Les Allemands sont encore en état de faire feu sur les Canadiens depuis la côte 145 et aussi le « Pimple ». Une fois la nuit tombée, les Allemands pourraient avancer en renforts. Il faut donc que les Canadiens prennent la côte 145 avant la nuit. Mais

où trouver des soldats pour le faire? En désespoir de cause, les commandants font appel au 85e Bataillon de Nouvelle-Écosse. Le 85e n'est en France que depuis un mois, œuvrant comme unité de travail. Ces soldats savent comment creuser des tranchées et transporter le matériel, mais sont-ils capables de combattre? À 17 h 45, les soldats du 85e sont tapis au pied de la côte 145; ils attendent qu'un barrage d'artillerie neutralise les canons ennemis. Mais le barrage n'arrivera jamais. Alors, à 6 h 45, ils lancent quand même l'assaut, directement au cœur d'un mitraillage féroce. Certains hommes tombent et les autres poursuivent leur avancée en tirant avec des fusils et des mitrailleuses Lewis. En voyant cette nuée d'assaillants, les Allemands postés aux cinq mitrailleuses s'enfuient... sous les huées des Néo-Écossais. Au bout d'une heure de combat sanglant, les soldats du 85e ont pris la côte 145. Le bataillon de travail a fait l'impossible.

Ils ont fait un travail magnifique... « Chers papa et maman, Eh oui! On était dedans jusqu'au cou. Et si j'étais déjà fier du bataillon, je le suis cent fois plus maintenant. Ils ont fait un travail magnifique. À la dernière minute, on nous a confié un problème de taille. Des gars extraordinaires sont tombés, mais cela a motivé les autres en leur prouvant que ces gars-là n'étaient pas morts pour rien. Notre nom est bien connu maintenant. »

— Le major J.L. Ralston, 85e Bataillon, Nova Scotia Highlanders

(À gauche) Le combat destiné à s'emparer des positions ennemies en contrebas de la côte 145, le 10 avril 1917, a été bref quoique brutal. Le 50e Bataillon (Calgary) a perdu 228 hommes.
(À droite) Les ruines du village de Farbus.
(Ci-contre, au centre) Trente-cinq Canadiens d'origine japonaise ont péri au cours de l'assaut du « Pimple ».
(Ci-contre, à l'extrême droite) Il faut maintenant enterrer les morts.

« Il était si grièvement blessé [...] »

« Harry Waller a explosé à l'entrée du puits [de l'ancienne mine]. Il était si grièvement blessé qu'on a eu bien du mal à le sortir de là. [...] Il souffrait terriblement, son dos était complètement tordu. Son bras gauche et sa jambe droite étaient cassés [...] des éclats d'obus sortaient de sa tête. Ses yeux ont vu son passé défiler avant de se refermer sur le présent. [...] Art Waller s'est agenouillé près du corps inerte de son frère Harry, puis il a versé des larmes amères. [...] »

— Victor Wheeler décrit la mort de son meilleur ami au cours de la bataille pour la prise du « Pimple ». Harry Waller avait 22 ans; il était l'un des trois frères Waller qui faisaient partie du 50e Bataillon (Calgary).

LE ROI DU PIMPLE

Comment les Allemands ont-ils pu nous laisser faire? » se demande le capitaine H.S. Cooper des Princess Pats alors qu'il se tient sur la crête de Vimy le soir du 9 avril. La bataille n'est cependant pas terminée. L'ennemi est toujours maître des bois situés en contrebas de la côte 145. Le lendemain matin, un bataillon de Calgary et un autre de Winnipeg forcent les Allemands à reculer, au bout d'une heure de combat sanglant. Il ne reste plus que le « Pimple », un monticule boisé, hérissé de mitrailleuses allemandes et situé sur l'extrémité nord de la crête. Avant l'aube, le 12 avril, trois bataillons de l'Ouest du Canada gravissent la colline à tâtons, dans une violente tempête de neige. Aveuglés par la neige, dans l'obscurité, les mitrailleurs allemands sont incapables de voir leurs assaillants. Après un corps à corps féroce, le « Pimple » tombe aux mains des soldats de l'Ouest du Canada, même si la moitié d'entre eux sont ou tués ou blessés. Leur commandant annonce la victoire au quartier général en déclarant : « Je suis le roi du Pimple ». La crête de Vimy, le bastion allemand le plus puissant sur le front Ouest, est désormais entièrement sous la coupe des Alliés.

« Du haut de la crête, on voyait la plaine de Douai qui s'étendait à nos pieds et des villages paisibles nichés dans des bois verdoyants [...] » — Le soldat William Kentner

« Chaque Américain éprouvera une grande admiration et un soupçon de saine envie face à l'exploit des troupes canadiennes. [...] On ne peut que faire l'éloge de l'exploit canadien. »
— *New York Tribune*

> **« Les Canadiens ont fait oublier leur réputation d'armée de « fripouilles ». Elle est désormais considérée comme la meilleure au sein du Corps expéditionnaire britannique... Ici, maintenant, on se sent fier d'être Canadien. »**
>
> — Le capitaine Claude Williams écrit à sa famille après la bataille de Vimy

LES CONSÉQUENCES

La crête de Vimy a été l'avancée la plus importante effectuée par les Alliés en plus de deux ans de guerre. Les Canadiens ont démontré à quel point une offensive planifiée avec soin et bien exécutée pouvait mener à la victoire. Et le monde entier en a tenu compte. Dans son journal, le premier ministre Robert Borden a noté : « Tous les journaux chantent les louanges des Canadiens ». Le prince Rupprecht de Bavière, qui avait commandé les Allemands à Vimy, a écrit à son père : « Je doute fort que nous puissions reprendre la crête de Vimy, ce qui amène à se demander : "Ça rime à quoi de continuer la guerre?" » Et pourtant, la victoire à Vimy n'a pas mis fin à la guerre. Les Britanniques et les Français seront incapables de continuer sur la lancée triomphale des Canadiens. Après avoir reculé, les Allemands ont creusé de nouvelles tranchées et le massacre s'est poursuivi. Jusqu'à la fin de la guerre, la crête de Vimy restera toutefois aux mains des Alliés.

Après Vimy, Julian Byng monte en grade et Arthur Currie est nommé commandant du Corps canadien, désormais considéré comme les troupes d'élite de l'Armée britannique. Currie proteste quand on lui ordonne de ramener ses hommes à Ypres, en octobre 1917. Il affirme qu'il lui en coûterait la vie de 16 000 hommes pour mettre un terme à une attaque britannique désastreuse, menée près du village de Passchendaele. Obligés de combattre dans une mer de boue, les Canadiens repoussent bien l'ennemi à Passchendaele. Mais 15 064 d'entre eux sont ou morts ou blessés, comme l'avait justement prédit Currie. Au pays, le nombre sans cesse croissant de télégrammes annonçant la mort d'un époux, d'un fils ou d'un frère amène les Canadiens à s'interroger sur le coût terrible de cette guerre.

(Ci-contre) Des soldats canadiens reviennent de la bataille de la crête de Vimy. Ils ont fait une avancée importante et capturé davantage de canons et de prisonniers que ne l'ont fait toutes les offensives alliées depuis le début de la guerre. (À droite) Le roi George V (à gauche) visite Vimy après la bataille, et Arthur Currie (au centre) est fait chevalier par le souverain. (À l'extrême droite) Le premier ministre Robert Borden et le général Currie passent les troupes en revue tandis que la guerre se poursuit.

L'ARMISTICE

Il faudra attendre le printemps 1918 pour qu'une percée soit effectuée dans le front ouest. Et ce sont les Allemands qui réussiront... en écrasant les lignes britanniques au sud d'Arras, le 21 mars. Une semaine plus tard et à des milliers de kilomètres de là, une émeute éclate à Québec quand la police tente d'arrêter des hommes qui refusent de servir dans l'armée. Dans le but de fournir des soldats en vue de la guerre, le gouvernement de Robert Borden a voté la loi de la conscription qui oblige tous les hommes valides à s'enrôler. Beaucoup de Canadiens, en particulier des Canadiens français, sont farouchement opposés à cette loi. Quatre personnes sont tuées au cours de cette émeute.

L'offensive allemande effectuée au printemps 1918 mènera l'ennemi à sa perte. La progression allemande s'arrête et, à l'été, les Alliés contre-attaquent. Les Canadiens lancent une offensive réussie à Amiens le 8 août, journée que le commandant allemand Ludendorff appellera « le jour le plus sombre de la guerre ». Cependant, même en reculant, les Allemands se battent et ce n'est que le 11 novembre, que nous appelons désormais jour du Souvenir, qu'on signe un armistice. Au pays,

« La guerre ne durera pas éternellement, mais les souvenirs horribles, les souffrances subies, le gâchis incalculable, tout cela

les Canadiens affluent dans les rues pour célébrer la fin de la guerre. Pour les soldats encore au front, c'est un soulagement mêlé d'épuisement, mais bien peu de joie. Comme l'écrira l'un d'eux : « Il nous a fallu pas mal de temps pour que la nouvelle parvienne jusqu'à nos cerveaux engourdis et que nous comprenions que la guerre était finie et que nous y avions survécu. »

demeurera pour le restant de notre vie. »

— Le lieutenant Coningsby Dawson

(Ci-contre, à gauche) Alors qu'ils entrent en Belgique, des Canadiens fêtent l'armistice dans une ville libérée. Ils sont arrivés dans la ville de Mons (ci-contre, à droite) le 10 novembre 1918 et l'armistice a été signé à 11 h le lendemain matin. (Ci-dessous, à gauche) À Mons, plaque à la mémoire de George Price, 25 ans, qui s'est fait tuer par un tireur embusqué deux minutes avant le cessez-le-feu. (Ci-dessous) Un tableau d'Ernest Sampson illustre les célébrations du jour de l'Armistice à Toronto.

« J'ai toujours eu le sentiment que la nationalité canadienne était née au sommet de la crête de Vimy [...]
Nous avions la sensation d'avoir fait un excellent travail et d'être les meilleurs soldats de la terre. C'est exactement là que
la nationalité canadienne s'est pour la première fois retrouvée [...] » — E.S. Russenholt, 44ᵉ Bataillon (Manitoba)

L'HÉRITAGE
Les soldats du Corps expéditionnaire canadien retournent dans un pays épuisé par la guerre. Le Canada a perdu 60 661 de ses citoyens parmi les plus jeunes et les plus actifs au cours de la guerre la plus brutale que le monde ait jamais vue. Des noms tels que Ypres, la Somme et Passchendaele donnent des frissons. Mais pas celui de Vimy. Ce nom, que chaque enfant apprend à l'école, est gravé sur la Tour de la Paix à Ottawa. Vimy représente la naissance du Canada en tant que nation sortant de l'ombre de la Grande-Bretagne. Vimy est le symbole de l'ingéniosité, du savoir-faire et de l'audace des Canadiens. La participation du Canada à la guerre lui vaudra un siège à la table des pourparlers de paix de Paris, en 1919, et le droit de vote à la Société des Nations, devenue aujourd'hui les Nations Unies. Et en 1931, le Statut de Westminster accordera au Canada le libre choix sur ses politiques étrangères.

De nos jours, certaines personnes s'interrogent sur « le mythe de Vimy ». Les Canadiens devraient-ils être fiers d'une bataille qui a entraîné 10 602 pertes, dont 3598 morts, une bataille qui a eu peu de conséquences sur l'issue de la guerre? Actuellement, on considère que la Grande Guerre (comme on l'a autrefois baptisée) a conduit à la Seconde Guerre mondiale, un conflit encore plus meurtrier dans lequel le monde entier a sombré 20 ans plus tard.

Et pourtant, en se rappelant les histoires de ces jeunes hommes qui ont bravé la mort en ce lundi de Pâques lointain, quel Canadien ne serait pas ému par leur courage et leur sacrifice?

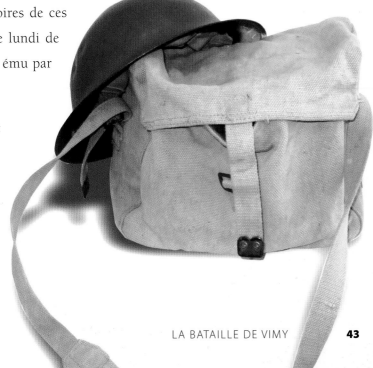

(Ci-contre) Des soldats saluent alors qu'un navire de transport des troupes arrive au Canada. Les soldats ont commencé à revenir au pays en mars 1919. Il a fallu 5 mois pour que les 300 000 hommes du Corps expéditionnaire canadien rentrent chez eux. Au retour des bataillons (à gauche), des célébrations se déroulent dans les municipalités d'un bout à l'autre du Canada. Plus de 700 000 Canadiens sur une population de 8 millions ont été mobilisés pendant la guerre. (À droite) Aujourd'hui, des objets comme ce casque et cette musette sont de précieux souvenirs pour de nombreuses familles canadiennes.

« J'ai rêvé que j'étais sur un immense champ de bataille. J'ai vu nos soldats [...] fauchés par la mort. [...] J'ai vu des milliers d'hommes qui marchaient pour aider nos armées. Ils ont surgi en grand nombre [...] et se sont joints au combat pour venir en aide aux vivants [...] C'étaient les morts. Sans les morts, nous étions impuissants. J'ai donc tenté d'illustrer, par ce monument dédié aux Canadiens tombés au champ d'honneur, ce que nous leur devons et que nous leur devrons toujours. »

— Walter Allward, sculpteur et concepteur du Mémorial de Vimy

LE MÉMORIAL

Le sculpteur Walter Allward s'est inspiré de son rêve – des morts qui surgissent de la terre – pour concevoir le mémorial érigé par le Canada en l'honneur de ses morts pour la France. Très vite, la côte 145 de la crête de Vimy a été choisie comme site de prédilection. En 1922, la France octroie au Canada un terrain de 85 hectares autour de la côte. Les travaux commenceront trois ans plus tard, mais la tâche est ardue. Le site regorge de tunnels et de cratères, ainsi que d'obus et de grenades qui n'ont pas explosé. Beaucoup d'ouvriers qui déblaient la zone à coups de pics et de pelles sont blessés par des explosions. Il faudra plus de 15 000 tonnes de béton pour réaliser la base du monument. Sur cette base, se dressent deux pylônes de marbre blanc, de 69 mètres de hauteur, qui représentent le Canada et la France unis dans la guerre et dans la paix. On a sculpté 20 statues de marbre, chacune ayant une signification symbolique. La plus grande d'entre elles représente une femme en pleurs, symbole d'une jeune nation qui pleure ses fils tombés à la guerre.

Un tableau du Mémorial de Vimy, peint par William Longstaff (en haut), illustre le rêve du sculpteur Walter Allward : des soldats morts sortent de leurs tombes. (À droite) Des sculpteurs travaillent sur le Brisement du sabre, l'un des deux groupes de personnages situés sur le rempart donnant sur la plaine de Douai (ci-contre, en haut, à gauche). Entre les deux groupes se dresse la sculpture la plus grande : une femme en pleurs représentant l'Esprit du Canada (ci-contre, en haut, à gauche et à droite) a le regard baissé en direction de la tombe symbolique d'un soldat tombé au front. (À l'extrême droite) Des vétérans et leurs familles sont rassemblés autour du monument lors de son inauguration le 26 juillet 1936. (Ci-contre, en bas) Les statues de la Justice et de la Paix couronnent les points les plus élevés des pylônes et, à leurs pieds (ci-contre, en haut, au centre), l'Esprit du sacrifice lance le flambeau à ses camarades.

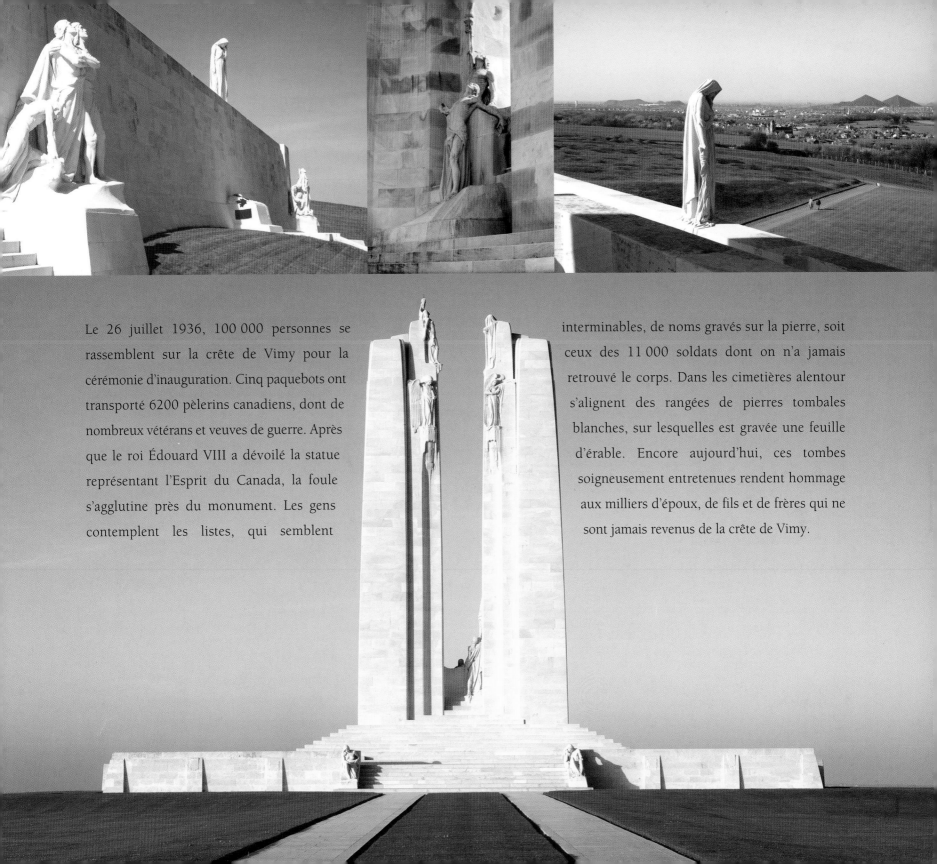

Le 26 juillet 1936, 100 000 personnes se rassemblent sur la crête de Vimy pour la cérémonie d'inauguration. Cinq paquebots ont transporté 6200 pèlerins canadiens, dont de nombreux vétérans et veuves de guerre. Après que le roi Édouard VIII a dévoilé la statue représentant l'Esprit du Canada, la foule s'agglutine près du monument. Les gens contemplent les listes, qui semblent interminables, de noms gravés sur la pierre, soit ceux des 11 000 soldats dont on n'a jamais retrouvé le corps. Dans les cimetières alentour s'alignent des rangées de pierres tombales blanches, sur lesquelles est gravée une feuille d'érable. Encore aujourd'hui, ces tombes soigneusement entretenues rendent hommage aux milliers d'époux, de fils et de frères qui ne sont jamais revenus de la crête de Vimy.

La Croix de Victoria à Vimy

C'est une médaille ordinaire, en bronze, et pourtant la Croix de Victoria est la plus haute distinction décernée pour bravoure au sein du Commonwealth britannique. Si quatre soldats canadiens présents à Vimy ont reçu la Croix de Victoria, un seul d'entre eux a survécu à la guerre.

Le récipiendaire le plus jeune était le soldat William « Willie » Milne (voir p. 33), âgé de 24 ans. À 41 ans, le soldat John G. Pattison était le plus vieux des quatre, et son fils servait, lui aussi, dans le 50ᵉ Bataillon (Calgary). Au cours de l'attaque qui s'est déroulée le 10 avril 1917 dans les bois situés en contrebas de la côte 145, le tir provenant d'un nid de mitrailleuse allemand a fauché la compagnie de Pattison. Esquivant les balles, Pattison a sauté de trou d'obus en trou d'obus et a lancé trois grenades Mills qui ont mis la mitrailleuse hors de combat. Il s'est ensuite rué en avant et a tenu la position avec sa baïonnette jusqu'à ce les autres puissent le rejoindre. Il a été tué sur le champ de bataille deux mois plus tard. Lors de ses funérailles à Vimy, son fils portait sa médaille.

Le sergent Ellis Sifton, 25 ans, originaire de Wallacetown, en Ontario, n'a jamais su qu'il avait reçu la Croix de Victoria. Il avait, lui aussi, mis une mitrailleuse ennemie hors de combat en fonçant sur elle et en frappant le peloton ennemi à coups de crosse et de baïonnette. Alors que Sifton supervisait la capture de prisonniers, un Allemand blessé a pris son fusil et l'a abattu. Il est enterré près de Vimy dans un cimetière aménagé dans un cratère d'obus.

Aux petites heures du matin, le 9 avril 1917, deux mitrailleuses allemandes bloquaient le passage du major Thain MacDowell, 26 ans. Il les a bombardées toutes les deux avant de poursuivre les mitrailleurs dans l'escalier d'un profond tunnel. Pendant qu'il abordait un tournant du tunnel, il s'est retrouvé nez à nez avec 77 soldats ennemis. Après une courte réflexion, MacDowell a regardé par-dessus son épaule et a crié des ordres vers l'arrière, comme s'il y avait un grand nombre de soldats derrière lui. La feinte a réussi et les Allemands ont levé les mains en signe de reddition. Mais comment allait-il faire pour ramener tous ces prisonniers sans que ceux-ci ne découvrent sa supercherie? MacDowell a divisé les Allemands et leur a fait monter les marches par groupes de 12. En haut de l'escalier, deux de ses soldats ont réussi à garder les prisonniers jusqu'à l'arrivée de renforts.

Après la guerre, Thain MacDowell a fait une brillante carrière et a vécu jusqu'en 1960. Billy Bishop (voir p. 26) est mort quatre ans seulement avant lui. Il a reçu, lui aussi, la Croix de Victoria pour avoir attaqué tout seul un terrain d'aviation allemand, le 2 juin 1917.

Les vétérans de Vimy

À la fin de la guerre, Sir Arthur Currie a été salué par le premier ministre britannique à titre de l'un des meilleurs commandants des Forces britanniques. En 1920, il est devenu recteur de l'Université McGill, poste qu'il a conservé jusqu'à sa mort en 1933. Julian Byng est devenu le vicomte Byng de Vimy et a occupé la fonction de gouverneur général du Canada de 1921 à 1926. Son mandat est surtout connu parce qu'il a refusé de dissoudre le Parlement à la demande du premier ministre Mackenzie King, incident qui est devenu l'affaire King-Byng. Le trophée Lady Byng, remis à un hockeyeur pour son esprit sportif, a été offert par son épouse en 1925. Un autre vétéran de Vimy, le major Georges Vanier du Royal 22ᵉ Régiment de Québec est devenu, en 1959, le premier gouverneur général du Canada d'origine canadienne française. Andrew McNaughton (voir p. 25) est devenu un haut commandant des Forces canadiennes en Europe durant la Seconde Guerre mondiale. Cependant, à la suite d'un différend avec le ministre de la Défense, J.L. Ralston, qui était lui aussi présent à Vimy (voir p. 35), il a démissionné en 1943. Victor Odlum (voir p. 20) a aussi participé à la Seconde Guerre mondiale en qualité de major général; il est devenu, par la suite, le premier ambassadeur canadien en Chine. Will R. Bird (voir p. 18) est resté hanté par ses expériences de guerre et les a décrites dans plusieurs ouvrages. Il a perdu son fils unique à la Seconde Guerre mondiale. Gregory Clark (voir p. 9) est lui aussi devenu écrivain et journaliste. Imaginez ce qu'auraient pu accomplir tous ceux qui ne sont jamais revenus chez eux.

GLOSSAIRE

abri : espace creusé sous la terre ou dans la paroi d'une tranchée qui souvent servait de logement pour un officier, d'emplacement pour les canons ou d'entrepôt.

Alliés : nations qui ont combattu contre l'Allemagne, l'Autriche-Hongrie et l'Empire ottoman durant la Première Guerre mondiale. Il s'agissait de la France, de la Grande-Bretagne et son Empire, de l'Italie, de la Russie, de la Roumanie, de la Serbie et, à partir d'avril 1917, des États-Unis.

armistice : trêve ou arrêt des hostilités, effectués d'un commun accord.

artillerie : l'armement tel que les fusils et les gros canons, et les forces qui les utilisent.

as : pilote de combat ayant abattu au moins 5 avions.

baïonnette : lame d'acier tranchante, fixée à l'extrémité d'un fusil.

bandes molletières : bandes de tissu enroulées autour des chevilles et des mollets d'un soldat.

barrage roulant : avancée de l'infanterie derrière un tir intense de l'artillerie.

chlore : gaz toxique qui sentait exactement comme le chlore d'une piscine. Le gaz moutarde avait une odeur de moutarde et une couleur jaune brunâtre.

conscription : politique gouvernementale qui force les gens à servir dans l'armée.

dominion : pays autonome au sein de l'Empire britannique. Le Canada, l'Australie, la Nouvelle-Zélande et l'Afrique du Sud étaient tous des dominions durant la Première Guerre mondiale. Terre-Neuve était une colonie britannique.

éclats d'obus : métal provenant de l'explosion des obus et fragments de balles – en général du plomb – contenues à l'intérieur des obus.

fandango : danse espagnole entraînante.

fritz : surnom donné aux soldats allemands par les Alliés.

géophone : instrument d'écoute semblable au stéthoscope d'un médecin. Il était utilisé par les sapeurs (qui creusaient les tunnels) pour écouter les sapeurs ennemis.

grenade : petite bombe lancée à la main.

infanterie : ensemble des soldats entraînés à combattre à pied et appelés fantassins.

milice : force militaire volontaire, mobilisée en situation d'urgence.

mitrailleuse Lewis : petite mitrailleuse portable. Billy Bishop en tient une dans son avion à la page 27.

obusier : canon court qui peut lancer un projectile haut dans les airs.

« passer l'arme à gauche » : expression familière péjorative qui signifie « mourir ».

pertes : terme désignant les morts et les blessés dans une bataille.

Princess Pats : surnom donné aux soldats du régiment canadien appelé Princess Patricia's Light Infantry Regiment.

figurant : personne qui s'intéresse à l'histoire militaire, qui porte des uniformes authentiques et figure dans les reconstitutions.

Société des Nations : organisation internationale fondée en 1920 dans le but d'éviter une autre guerre mondiale.

Stonehenge : monument préhistorique situé en Angleterre et formé d'énormes pierres disposées à la verticale.

unités d'armée : Durant la Première Guerre mondiale, les forces britanniques étaient organisées comme suit : une armée était constituée d'au moins 2 corps; un corps était constitué de plusieurs divisions; une division était constituée de 3 brigades; une brigade était constituée de 4 bataillons; un bataillon était constitué de 4 compagnies et chaque compagnie était constituée de 4 pelotons, chacun formé de 12 soldats. Le Corps canadien présent à Vimy était constitué de 4 divisions.

Van Doos : surnom anglais donné au Royal 22e Régiment de Québec.

INDEX

Références photographiques

Les cartes et les schémas sont de Jack McMaster. Sauf indication contraire, les photographies couleur sont de Ian Brewster.

MCG – Musée canadien de la guerre
BAC– Bibliothèque et Archives Canada
AVT – Archives de la ville de Toronto

Les illustrations dont la référence n'est pas mentionnée ci-dessous proviennent de collections privées. Nous avons fait tout en notre pouvoir pour obtenir la permission d'utiliser les photos et les citations reproduites dans ce livre et pour leur accorder le crédit qui leur revient. Toute erreur éventuelle sera rectifiée dans les éditions subséquentes.

Couverture : Affiche MCG/AN19900348-021
4 : (En haut) Bibliothèque publique de Toronto; (en bas) Mary Evans Picture Library 10012223
5 : (À gauche) AVT/Fonds 1244, pièce n° 729; (à droite, en haut) AVT/Fonds 244, pièce n° 748; (À droite, en bas) AVT/Fonds 244, pièce n° 668; (affiche) MCG 1990029-001
6 : (À gauche, en haut) BAC/PA 07281; (à gauche, en bas) BAC/PA 202396; (à droite, en haut) Musée McCord 5292; (à droite, en bas) Musée du Royal 22e Régiment
7 : BAC/PA 117875; (carte postale) The Granfield Collection
8 : (Carte) Gord Sibley

9 : (À gauche) BAC/PA-000095; (à droite) BAC/PA-000723
10 : (À gauche, en haut) Gas Chamber at Seaford de Frederick Varley, MCG 19710261-0772; (à gauche, en bas) MCG 19700140-077 (à droite) Museum Passchendaele
11 : (À gauche, en haut)BAC/C-080027; (à gauche, en bas) MCG 19820103-011
12 : BAC/PA 000914
14 : BAC/PA-001148
17 : (En haut, à gauche) MCG 19680113-001; (en haut, à droite) BAC/PA-001370
18 : Photo de Will Bird, « Ghosts Have Warm Hands »
20 : (À gauche) A Night Raid de H.J. Mowat, MCG 19710261-0431; (à droite) BAC/PA-202398
21 : (À droite) Trench Fight de H. J. Mowat, MCG 19710261-0434
22 : (En bas) BAC/PA 001229; (en haut, à droite) BAC/PA 003666
23 : (En bas, à droite) The Grandfield Collection
24 : (À gauche, en bas) Memorial Museum Passchendaele; (à droite) BAC/PA-005460
25 : (À gauche) BAC/PA-002366; (en bas, à droite) BAC/PA-0034150
26 : (À gauche) Memorial Museum Passchendaele; (au centre) BAC/C-027737; (à droite) BAC/PA-003894
27 : (À gauche) BAC/PA 122515; (à droite) War in the Air, 1918 de C.R.W. Nevinson, MCG 19710261-0517
28 : (En bas) BAC/PA-001500
29 : (En bas) The Grandfield Collection
30 : (Carte postale) The Grandfield Collection

31 : À l'assaut, Neuville-Vitasse, 1918 d'Alfred Bastien, MCG 19710261-0056
32 : BAC/PA 001879
33 : (À gauche, en bas) Illustration : Sharif Tarabay; (à droite, en haut) BAC/PA-004388; (à droite, au centre) BAC/PA-001096; (à droite, en bas) Imperial War Museum Q23709
34 : BAC/PA-001020
36 : (À gauche) Capture of a German Trench at Vimy de W.B. Wollen, Royal Canadian Military Institute; (à droite) BAC/PA-001071
37 : (En haut, à droite) BAC/PA-4352; (En bas) BAC/PA-001446
38 : BAC/PA-001332
39 : (À gauche) BAC/PA-001502; (À droite) BAC/PA-002746
40 : (À gauche) BAC/PA-003068; (À droite) MCG/AN19930065-429
41 : (À gauche) Gareth Turner; (à droite) Armistice Day, Toronto d'Ernest Sampson, MCG 19710261-0655
42 : BAC/PA 0022995
43 : (À gauche) Glenbow Archives NB-16-609
44 : (À gauche, en haut) Vimy Ridge de William Longstaff, MCG 19890275-051; (en bas, à gauche) MCG 19770315-018; (en bas, à droite) BAC/PA-183544
45 : Photos de Harry Palmer : (en haut, à gauche) BAC/PA57/88-04-10/10; (en haut, au centre) BAC/PA57/89-05-22/03; (en haut, à droite) BAC-57/88-04-10/15; (en bas) BAC-57/88-04-20/17
Quatrième de couverture : The Taking of Vimy Ridge de Richard Jack, MCG 8178

Production de Whitfield Editions.
Conception graphique: Gordon Sibley

Catalogage avant publication de Bibliothèque et Archives Canada
Brewster, Hugh
La bataille de Vimy : l'exploit des Canadiens, avril 1917 / Hugh Brewster; texte français de Claudine Azoulay.
Traduction de : At Vimy Ridge.
ISBN 0-439-94983-1
1. Vimy, Bataille de, 1917—Ouvrages pour la jeunesse. I. Azoulay, Claudine II. Titre.
D545.V5B7414 2007   j940.4'31   C2006-903622-5

ISBN 978-0-439-94983-5

Édition publiée par les Éditions Scholastic, 604, rue King Ouest, Toronto (Ontario) M5V 1E1.

6 5 4 3 2   Imprimé à Singapour 46   10 11 12 13 14

À propos de l'auteur

Hugh Brewster a reçu le prix Children's Literature Roundtables du Canada Information Book en 2006, pour son ouvrage *Le débarquement à Juno*, ainsi qu'une mention d'honneur en 2007, pour *La bataille de Vimy*. Ce même ouvrage a remporté le prix Norma Fleck en 2008. Hugh Brewster a écrit un grand nombre de livres qui traitent de sujets historiques et ont été primés.

Remerciements

Merci à Gord Sibley pour l'excellente conception graphique; à Desmond Morton pour ses conseils et son examen minutieux lors des dernières mises en page; à Linda Granfield pour son soutien, son expertise et ses illustrations; à Ian Brewster pour les photographies à Vimy; à Tom Deacon pour les lettres et les photos de son grand-oncle; à Nan Jemmett, à Sue et Gerard McNally, ainsi qu'à Linda et Paul Kidney et à Donald Sibley, pour avoir partagé leurs photos de famille et leurs artefacts; Nigel Bristow et Chris Barker (des figurants) pour les artefacts et l'expertise. L'oncle de Nigel, Leonard Bristow, a été tué en 1914. Merci au capitaine Gareth Carter; à Charlotte Cardoen-Descamps de Varlet Farm; à Franky Bostyn et Kristof Blieck du Memorial Museum Passchendaele; à Tim Cook et Maggie Arbour-Doucette du Musée canadien de la guerre; à Isabelle Fernandes et Daniel Potvin de Bibliothèque et Archives Canada; à Chuck Loewen, David Craig et Larry Muller pour les ouvrages de référence; à Signe Ball du magazine *In the Hills*; à Nancy Pearson et Sandra Bogart Johnston de Scholastic Canada; à Gregory Loughton du Royal Canadian Military Institute; et à tout le personnel du Mémorial de Vimy.